Arte Popular

Búscalo y encuéntralo

Para Dania, Elyan, Galia y Natalia,
con las que siempre juego y me divierto.

Dirección editorial
Ana Laura Delgado

Cuidado de la edición
Angélica Antonio Monroy

Revisión del texto
Rosario Ponce
Ana María Carbonell

Diseño
Ana Laura Delgado
Humberto Brera

Diseño de forros
Isa Yolanda Rodríguez

Primera edición, febrero de 2011
D.R. © 2010. Ediciones El Naranjo, S. A. de C. V.
Cerrada Nicolás Bravo, núm. 21-1,
Col. San Jerónimo Lídice, C. P. 10200,
México, D. F.
Tel/fax + 52 (55) 5652 1974
elnaranjo@edicioneselnaranjo.com.mx
www.edicioneselnaranjo.com.mx

ISBN 978-607-7661-23-8

Impreso en China • *Printed in China*

Arte Popular

Búscalo y encuéntralo

Nina Shor

Gira tu libro

Entre las cinco mil miniaturas hay...

Un jaguar sobre la cara de otro jaguar. / Un venado tan chico como el hocico de otro venado. / Dos elefantes juntos, uno de ellos en picada. / Seis estrellas de mar. / Voladores de Papantla encima del jarabe tapatío. / Un grupo de mariachis. / Tres catrinas muy bien vestidas. / Cuatro jirafas escondidas en distintos lugares. / Un nacimiento.

Los árboles de la vida se hacen principalmente en Metepec, Estado de México; en Amazoc, en Izúcar de Matamoros y en Acatlán, Puebla. Éste es de Metepec.

El mapaniño

El artesano que hizo este árbol se llama José Luis Serrano Carrillo y tiene 37 años. La obra se llama *Artesanías de Metepec*; cuando José Luis la elaboró pensó incluir algunas cosas que le habían gustado o que había observado, como una vez que vio a los voladores de Papantla. Le dije que si yo hiciera un árbol incluiría a los mejores jugadores de futbol, mi comida preferida y mi colección de estampas. Pareció impresionado. También me contó que tardó casi dos meses trabajando diariamente para hacer esta obra y me aseguró, aunque no lo crean, que tiene más de 5000 mini piezas de barro, la mayoría hechas a mano.

Informó el entrevistador profesional

¿Más de 5000 piezas de barro? Yo intenté contarlas y llegué hasta la 1457, pero me dio la hora de la cena y me faltaba más de la mitad. ¿Alguien más las ha contado?

El contador

No he podido contar las piezas, pero tengo un árbol de la vida en mi casa que habla de la creación y, según mis papás, para poder ser considerado un árbol de la vida, la pieza debe incluir la representación del Edén o del Paraíso. Por eso en la mía están Adán y Eva y, por supuesto, la serpiente.

Bibliora

Mi abuela también tiene una artesanía como ésta. Me dijo que fue un regalo de boda, ya que antes era costumbre obsequiar un árbol de la vida a las parejas que contraían matrimonio para que tuvieran muchos hijos. Debe ser cierto, pues tengo muchos tíos.

Carlota

He descifrado todas las escenas de este árbol menos dos. Éstas son algunas:

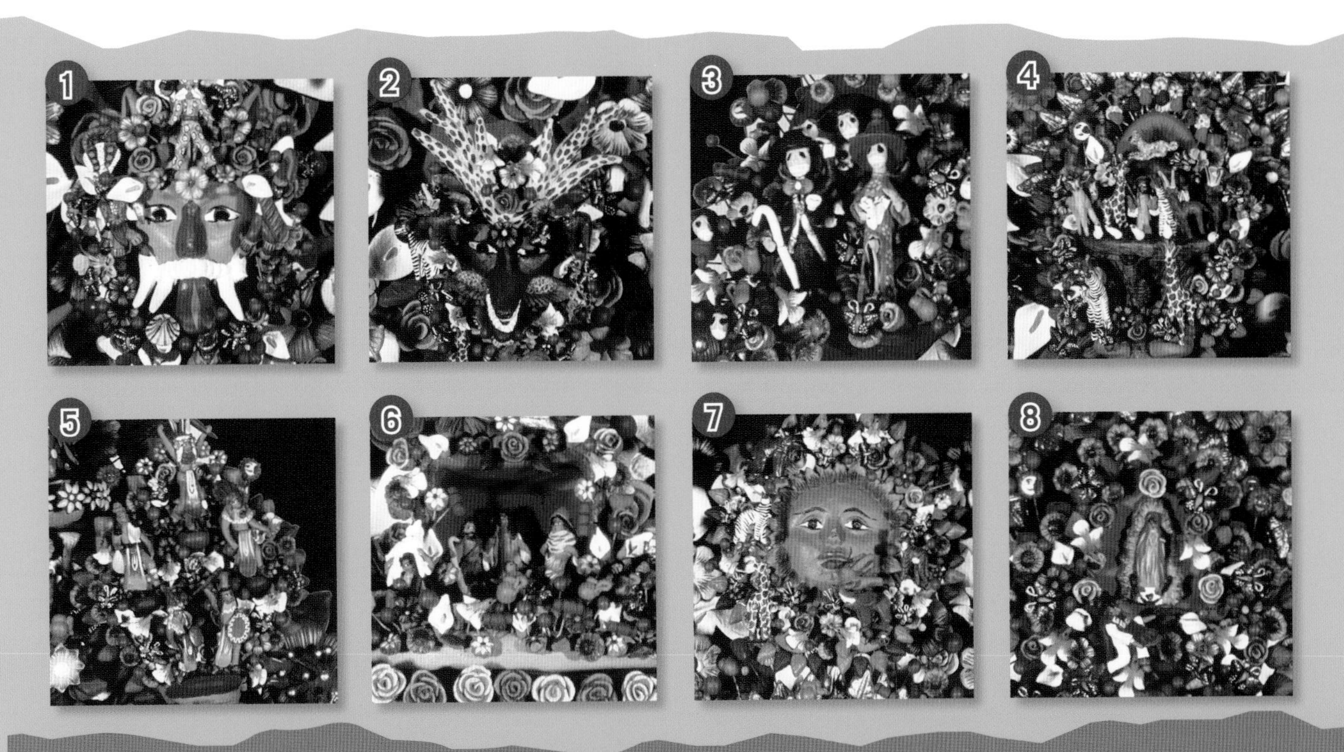

1. Máscara de jaguar con danzantes de la danza del jaguar, del quetzal, de los viejitos, del venado y de la pluma.
2. Máscara de venado.
3. Un catrín y una catrina.
4. Arca de Noé.
5. Danzas aztecas prehispánicas.
6. Un nacimiento y los Reyes Magos.
7. Un Sol y animales.
8. Aparición de la Virgen del Tepeyac.

Pero ¿por qué hay dos sirenas?

Tradicio Polines

Quizá sea porque mi paisano don José Luis conoce la leyenda de la Tlanchana. Una vez que estaba espiando a los adultos, oí que platicaban que en el siglo pasado, detrás del cerro de los Magueyes (eso quiere decir Metepec), había un lago donde se aparecía una Tlanchana (mujer con cola de pez, aunque hay quien dice que la tenía de serpiente). Por las noches tocaba su lira y encantaba a los hombres que pasaban por ahí, y eso la hizo famosa.

Mateo el Lira Lagos

Entre rectas y curvas hay...

Figuras que están dentro de otras o son el borde de otras, que son el comienzo y el final. ¿Puedes encontrar estas figuras?

Si sigues con el dedo la línea que toca la lagartija con la pata, ¿podrás recorrer todo el contorno del diseño, sin despegarlo de la hoja?

Las piezas de cerámica con este tipo de diseño se hacen en Mata Ortiz y Nuevo Casas Grandes, en el estado de Chihuahua. Este platón es de Nuevo Casas Grandes.

El mapaniño

Sobre cómo un leñador se convirtió en artista

Juan Quezada vive en Mata Ortiz, cuando era niño siempre andaba creando figuras y dibujos, los trazaba hasta en las paredes. Su trabajo era ir por la leña al cerro, pero mientras los animales descansaban, se metía en cuevas a explorar y fue así como encontró ollas y jarrones antiguos. Le gustaron tanto que no podía quitarse de la cabeza los dibujos de esas piezas y entonces pensó que a él le gustaría crear algo parecido. El problema era que ni Juan ni nadie en el pueblo sabía cómo trabajar el barro, ni cómo elaborar las ollas y las pinturas. ¿Creen que eso lo detuvo?, pues no. Empezó a realizar una serie de experimentos, como éstos:

- **Buscar el barro.** Para eso, excavó tierra junto a los ríos y empezó a mezclar arena de por aquí y tierra de por allá. Fabricó muchas ollas, pero se le rompían o tenían burbujas y grietas. Finalmente consiguió el barro que le gustaba: blanco y que se pudiera alisar.
- **Hacer un horno.** Para quemar las ollas usó leña, estiércol, hornos sobre el piso, piezas tapadas, destapadas, bueno, hasta sus pantalones se quemaron una vez, pero consiguió su horno.
- **Buscar la pintura.** En esa época no se encontraba pintura en cualquier esquina, había que elaborarla. Así que tomó minerales y otros barros, los desmenuzó, les puso agua y los mezcló. Le llevó algo de tiempo encontrar lo que buscaba, porque no era simplemente un color negro que a la hora de quemarlo se volviera medio café oscuro, tenía que ser un negro negrísimo. ¿Creen que lo consiguió?, pues sí, y también logró fabricar el rojo.
- **Diseñar.** El primer paso fue hacer pinceles con los que se pudieran pintar líneas delgaditas, eso fue cuestión de pelos y plumas, y lo logró después de peluquear varios animales. Comenzó a diseñar líneas, curvas, cuadrados, éstas por separado o todas mezcladas... hasta que consiguió un estilo propio.

Así, lo que empezó con un joven explorando en una cueva, terminó en un artista que no sólo vende sus piezas en todo el mundo, sino que también inspiró a mucha gente de Mata Ortiz y de Nuevo Casas Grandes. Estos pueblos, que también eran de leñadores y campesinos, se transformaron en lugares muy conocidos por sus artistas y alfareros.

El anticuario

Las ollas que encontró el maestro Quezada pertenecían a la ciudad de Mesoamérica llamada Paquimé.

La Ortiz

Esta pieza es de Carlos Loya Jáquez, de Nuevo Casas Grandes. El maestro Loya aprendió de Juan Quezada y ahora fabrica sus propios diseños, por los que ha ganado varios premios. Para realizar esta pieza se tardó un mes. Primero consiguió el barro en Mata Ortiz, luego lo amasó, lo formó, lo pulió, pulió y pulió. A la hora de pintar, trazó primero todas las líneas punteando con una pluma y luego, con un pulso que yo creo que nunca voy a tener (no hay raya que me salga derechita), fue pintando raya por raya. Finalmente lo metió al horno.

Nuncia de Casas Chicas

Otros que se pusieron a experimentar (igual y se vuelven artistas)

Miren, me puse a recortar... he aquí un nuevo hogar para la lagartija.

Juana Recortes

Yo me puse a dibujar el rectángulo exterior para lograr el trazo de la figura del centro, pero me hice bolas con tantas minilíneas y me salieron cuadrados enormes y chuecos.

La intrazable

Es un dibujo simétrico. Una forma de hacerlo es así: se dibuja una cuadrícula, luego se trazan líneas diagonales que cruzan de una esquina a otra y luego se rellenan ciertas áreas según el diseño.

La autora

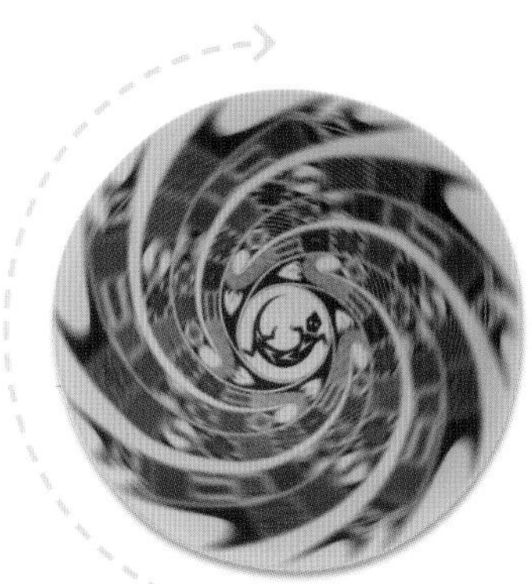

¿Y si la ponemos a girar?

El contador

Mejor hay que diseñar.

El diseñador

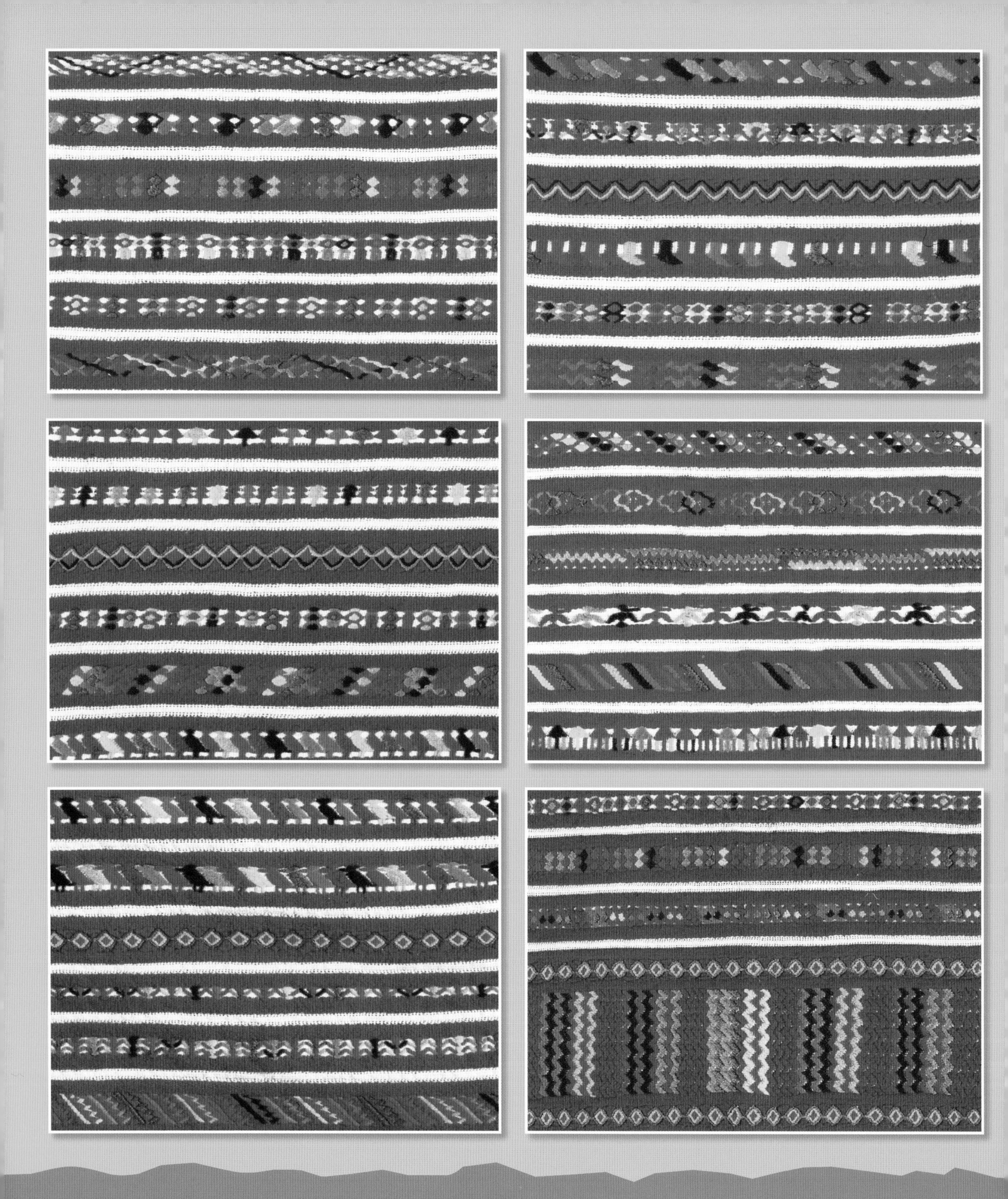

Ésta es una búsqueda de símbolos y todas las imágenes son mariposas transformadas en objetos o personas. Ésta es una franja de mariposas transformadas en señoras.

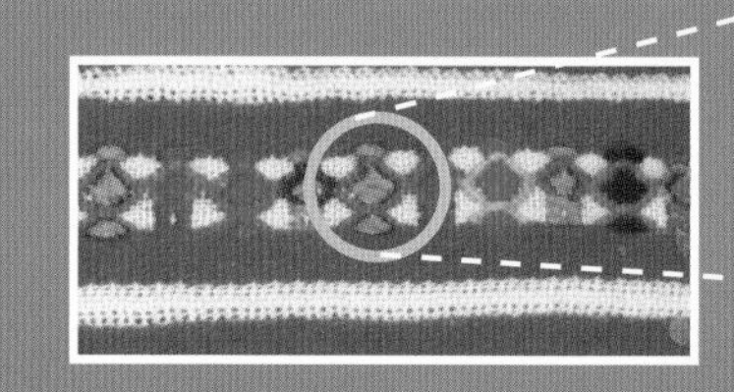

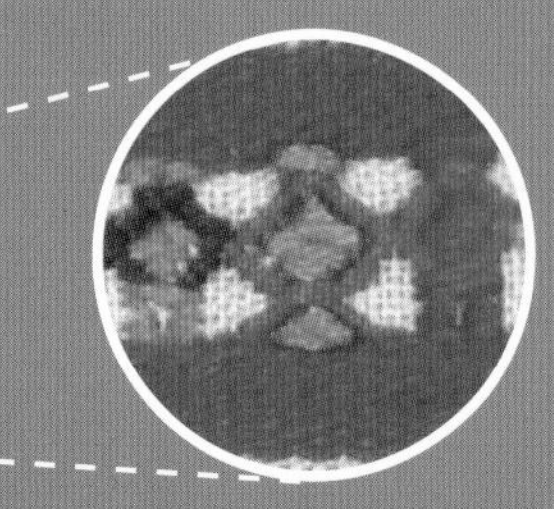

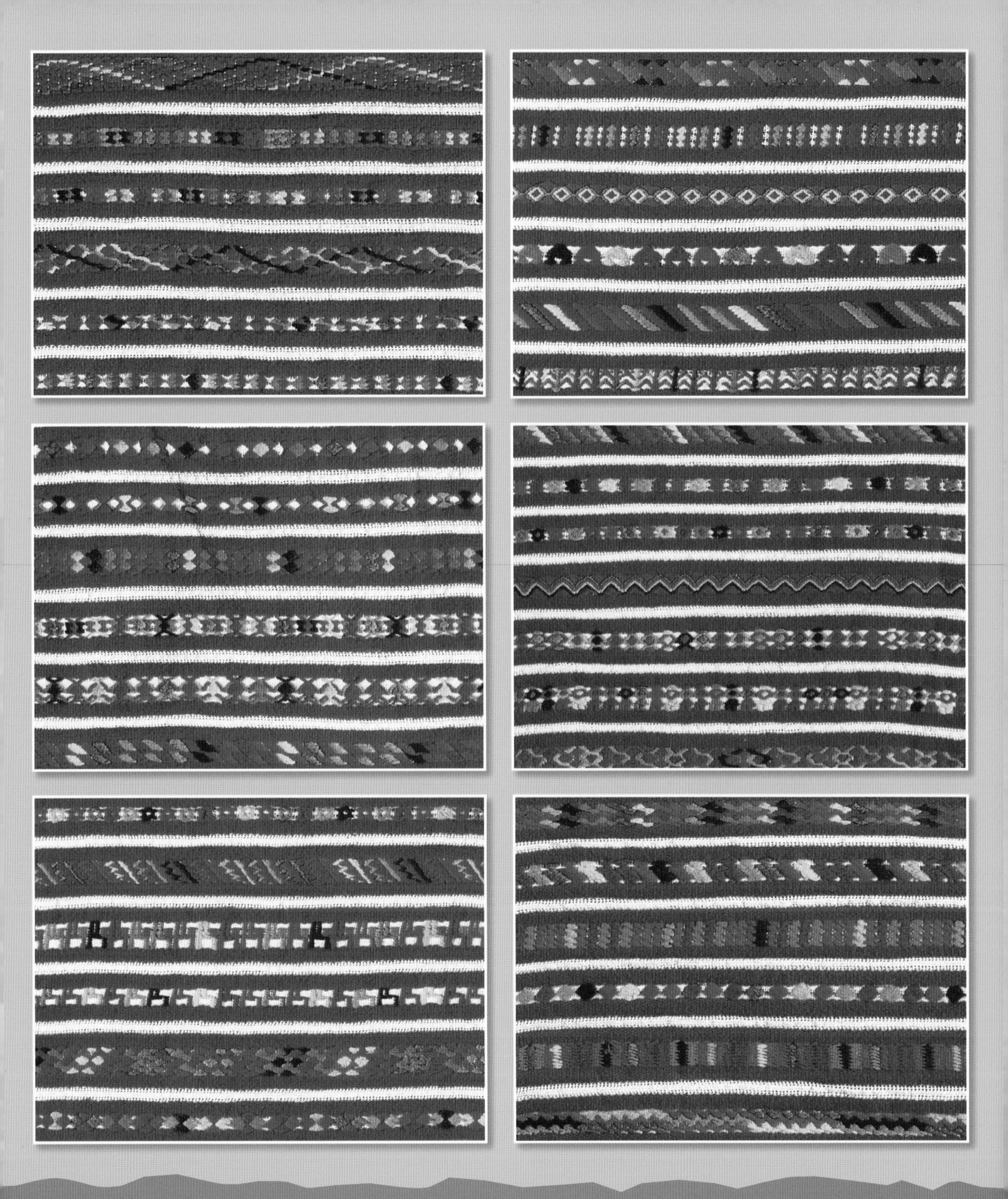

En otras franjas se encuentran...

Franja de mariposas señoras con soldados. / Franja de mariposas zapatos. / Franja de mariposas sillas. / Franja de mariposas flores. / Franja de mariposas pájaros. / Franja de mariposas jarras. / Franja de mariposas casas. / Mariposa madre, que es la más grande de todas.

Estos huipiles se hacen en las comunidades triqui de San Andrés Chicahuaxtla, San Martín Itunyoso y San Juan Copala, de Oaxaca. Éste es de San Andrés Chicahuaxtla.

El mapaniño

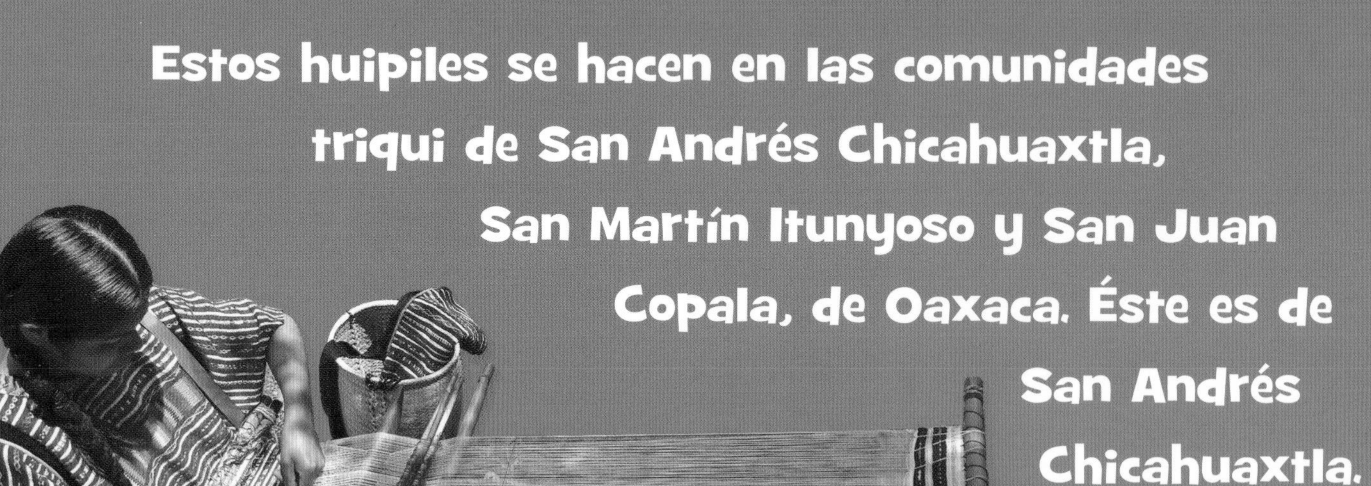

Triqui es el nombre que le pusieron los españoles a esta comunidad, pero en San Andrés Chicahuaxtla se nombran a sí mismos (a ver quién lo puede decir): guí a'min naj'nï'ïn, que quiere decir en español: gente que habla la palabra completa.

Laj niñuug o la Flor en Movimiento

Algunas cosas sobre Otilia Sandoval, de San Andrés Chicahuaxtla

La maestra Otilia, que lleva cuarenta años tejiendo en telar de cintura, me contó que este huipil lo hizo su cuñada, doña Dominga Rosas, y que se tardó, nada más y nada menos, un año en tejerlo. También me dijo que vestir con un huipil es un honor, sobre todo los que se usan en ocasiones muy especiales, como las bodas y los que se utilizan como mortajas, es decir, para vestir a los muertos.

Entrevistador profesional

¡Cada huipil tiene un significado; en las franjas se entretejen cosas del pasado, del presente y del futuro de quien lo elaboró.

Tradicio Polines

¿Por qué buscamos mariposas, si no parecen mariposas?

El dudas

Meta, Morfo y Sis, te explican el porqué de las mariposas:

De oruga a mariposa

Una mariposa empieza siendo oruga y no parece mariposa. Con el tiempo se va transformando, como nosotros que conforme vamos creciendo tenemos que usar otra ropa porque ya no nos queda. Los triqui creen en esta idea de la transformación en todas las cosas, así que una mariposa flor es algo así como una rosa en tu jardín que va cambiando contigo, como la oruga cuando cambia a mariposa.

Meta

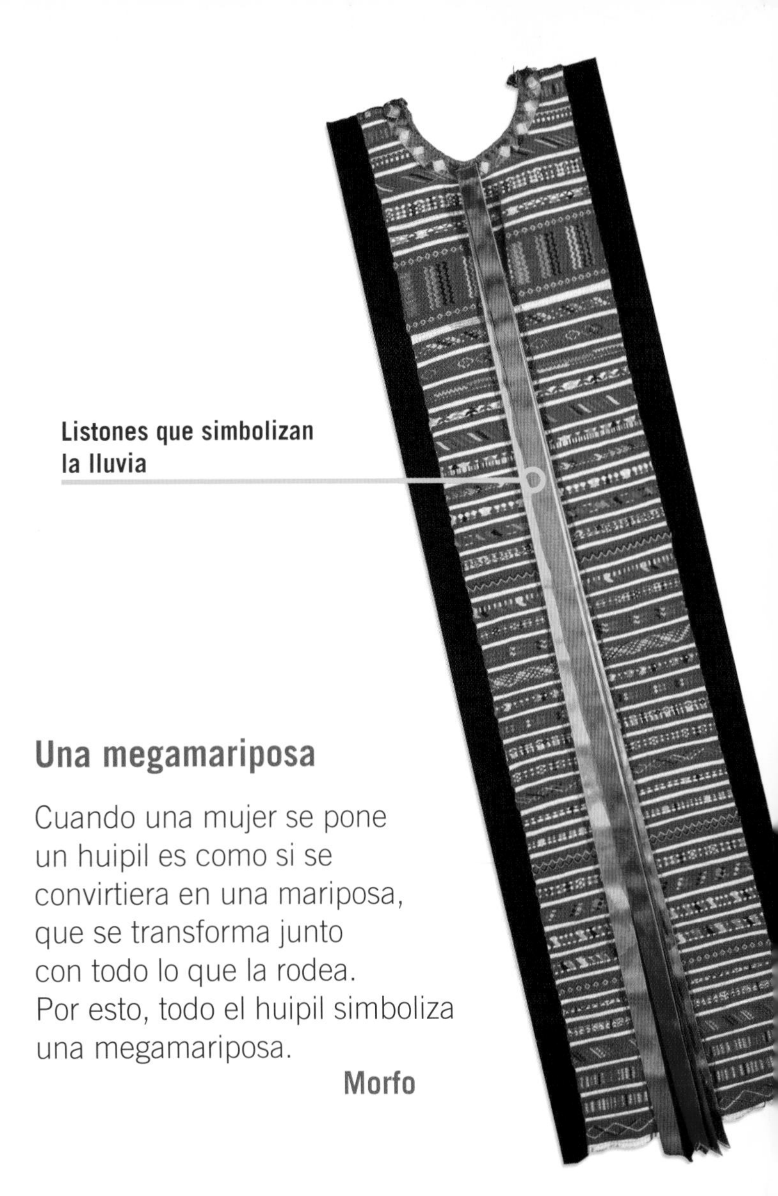

Una megamariposa

Cuando una mujer se pone un huipil es como si se convirtiera en una mariposa, que se transforma junto con todo lo que la rodea. Por esto, todo el huipil simboliza una megamariposa.

Morfo

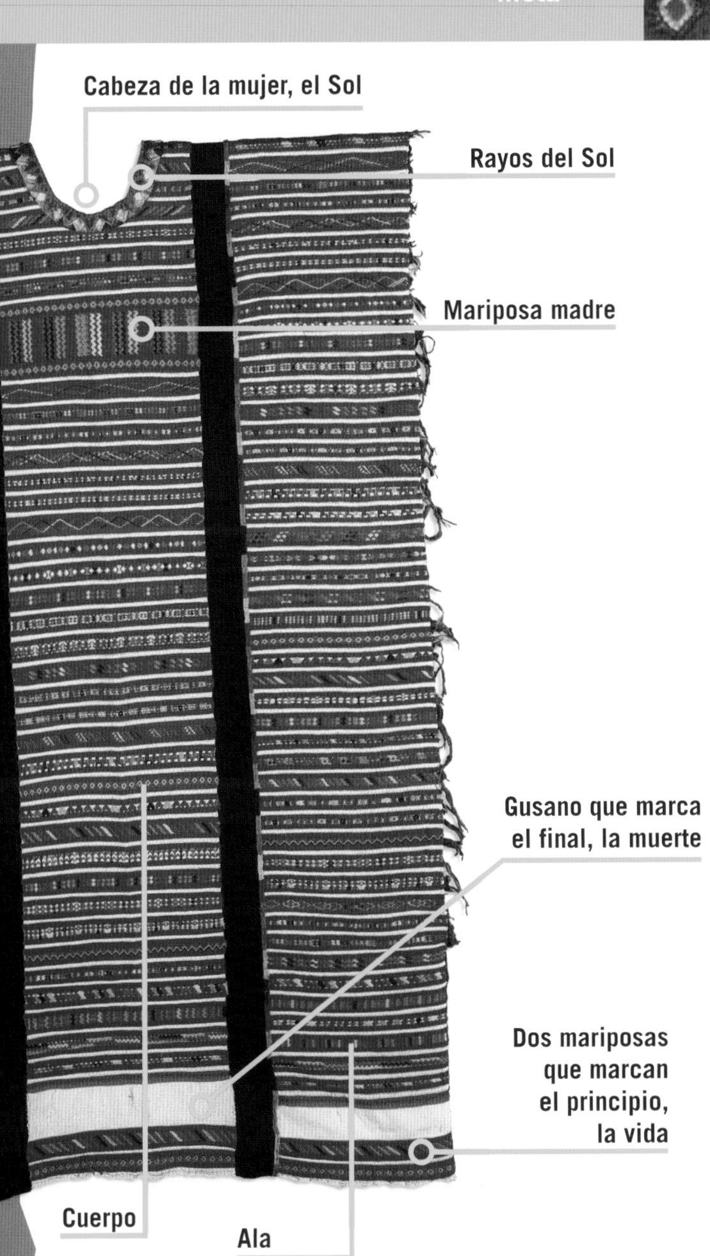

Muchas minimariposas

Todo el huipil es una mariposa, pero, además, dentro de esa mariposa hay muchas minimariposas (en éste hay 79 distintas) que indican aspectos de la vida triqui. Cada minimariposa tiene varias partes.

Sis

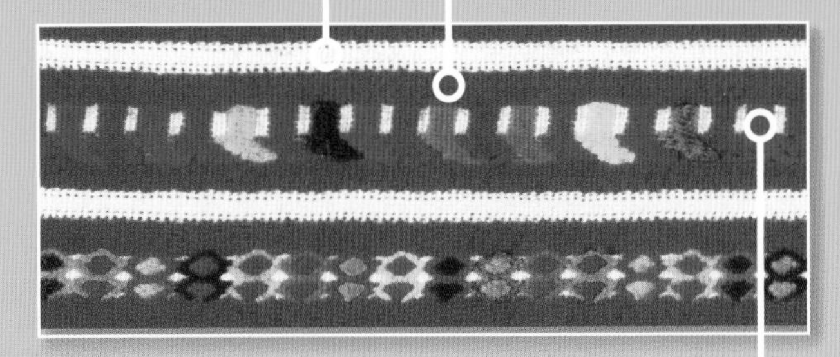

Puntada por puntada se forman...

- Dos venados con cuernos.
- Un león sin mancha en la cara.
- Una flor con dos pétalos azules y dos amarillos.
- Dos ardillas tomando una hoja amarilla.
- Un ave con plumas de veinte colores.
- Un conejo de cabeza naranja.
- Una flor de la que no salen tallos, hojas, ni animales.
- El único animal con cuatro patas del mismo color.

Este tipo de bordado sobre manta se hace principalmente en Tenango de Doria, San Nicolás y San Bartolo, Hidalgo, y en San Pablito Pahuatlán, Puebla. Éste es de San Pablito Pahuatlán.

El mapaniño

Brevísima historia del cosido y bordado (desde los mamuts hasta Puebla)

Puede ser que esta pieza sea parte de una cadena de hechos históricos como éstos:

1. Hombres primitivos que tenían que inventar algo para cubrirse: ropa a la que no se le cayeran las mangas (no hablo de hilo y aguja, claro, hablo de piel de mamut y espinas).
2. Egipcios y griegos que ya dominaban el hilo y la aguja y bordaban sobre la tela todo tipo de piedras preciosas y figuras de armaduras...
3. Pobladores de Mesoamérica que ya dominaban el telar de cintura y se distinguían unos de otros con ropa en la que bordaban con agujas de cobre, plumas y pelo de conejo pintado de colores.
4. Pobladores de China que desde que tenían memoria dominaban todo lo anterior, y además bordaban con hilos de oro. Estas técnicas llegaron a la Nueva España y se siguen usando hoy en día.
5. Artesanos que usan las ideas antiguas y las técnicas actuales para producir piezas como ésta de Puebla.

El anticuario

Este mantel de dos por dos metros lo bordaron miembros de la familia otomí de Heriberto Santos Mendoza. Ellos compraron la manta, le dibujaron todos los animales y flores y entre varios hicieron el bordado. Eran cuatro personas y tardaron un mes en realizarlo.

La autora

Algunos otomíes se autonombran hñähñü, que significa: los que hablan la lengua nasal.

Si cuatro personas bordan un mantel y cada una va agarrando los hilos de aquí y de allá, según le vaya pareciendo, ¿habrá un mantel igual a otro? En este mantel ¿hay un animal o flor idéntico a otro?

Dora, la indagadora

Gran parte de los hilos que se usan para bordar y tejer son comerciales, pero antes era común teñir la lana y el algodón con tintes que se extraían de plantas, animales y minerales. Por ejemplo, el rojo carmín se sacaba de la grana cochinilla, el púrpura, de una especie de caracol y el amarillo oro, de una planta llamada zacatlaxcalli.

Violeta Rojas

Bordado bajo la lupa

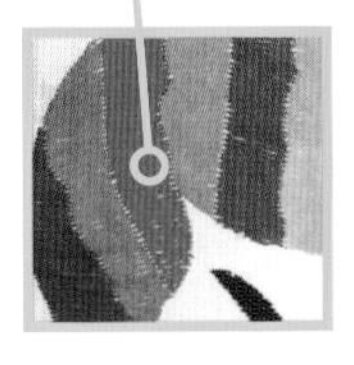

Para hacer esta franja (la roja) la aguja entró y salió 52 veces, y por atrás el bordado se ve increíblemente limpio.

El contador

Los artesanos de San Pablito bordan lo que ven y encuentran a su alrededor. Si bordaras un mantel, ¿qué te gustaría ver en él?

Tradicio Polines

Yo bordaría mi casa, a mi perro y a mis hermanos, y haría uno más con mis amigos de la escuela.

Ada, la de la imaginación desBORDADA

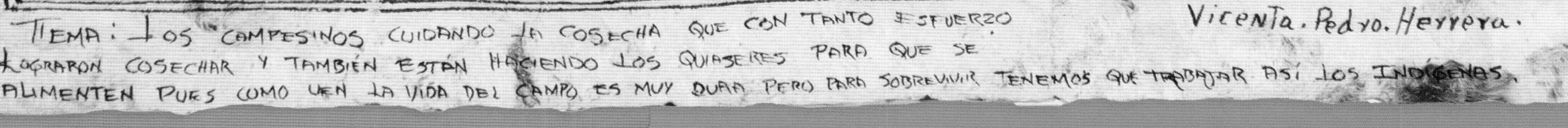

¿Es de día o es de noche?

Gira tu libro

En la vida de campo se encuentran...

A dos que van a cortar leña, a dos que ya la amarran y a dos que ya la cargan. / Los que ya cazaron su comida. / El intercambio de una sandía por una cubeta. / La casa con techo y puerta distintos. / Once animales. / Un sombrero de distinto color y dos personas vestidas con los mismos colores. / Un hombre y una mujer que se toman del brazo, ¿para bailar?

El papel amate se fabrica en Puebla, Veracruz e Hidalgo. Los amates se pintan principalmente en Guerrero, en varios pueblos de la zona del río Balsas. Este amate es de Xalitla, Guerrero.

El mapaniño

Lo que muchos no saben sobre el papel amate

Es probable que el papel amate sea, nada más y nada menos, el primer papel que se fabricó en México, claro, antes de que llegaran los españoles al continente, es decir, en la época prehispánica. El amate se usaba para ilustrar asuntos religiosos, de historia y de la vida diaria. También se empleaba para representar rituales, sacrificios y ofrendas, así que no era precisamente papel para reciclar, tenía lo suyo de mágico y místico. Tan es así, que cuando llegaron los españoles, ¡adiós papel amate!, se fue a la hoguera para hacer borrón y cuenta nueva en cuestiones de religión.

El anticuario

¿Cómo se hace el papel amate?

Se sigue fabricando como lo hacían nuestros antepasados, con la corteza de los árboles. El de color claro se elabora con la corteza de la mora y el oscuro con el de la higuera.

- **Desprender** la corteza de los árboles.
- **Poner** en una olla con agua, cal y ceniza y hervir durante varias horas para que se ablande.
- **Volver** a sumergir en agua limpia para enjuagarla.
- **Sacar** de la olla y disponer la fibra en tiras sobre una tabla de madera.
- **Aplastar** con una plancha de piedra hasta que se unan y se forme una hoja que se deja secar al sol.

Sergio Pahuatlán Sesese

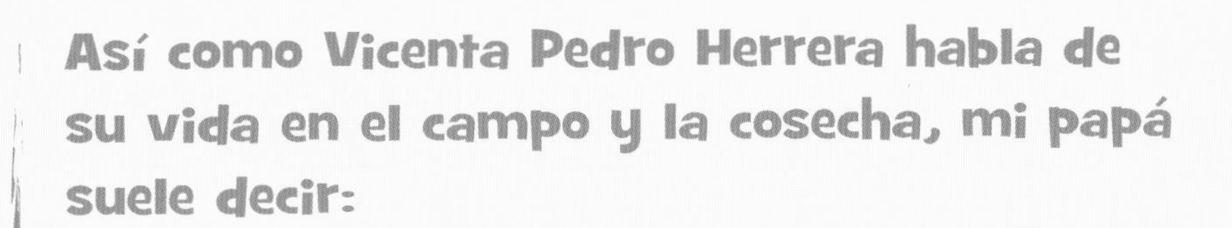

Así como Vicenta Pedro Herrera habla de su vida en el campo y la cosecha, mi papá suele decir:

"Andando en el campo llano, como lo quiera el cristiano;
pero en subiendo la cuesta, como lo quiera la bestia."

–Pues mi papá, que se sabe más refranes, dice:
"En el campo, el real ganado es muy sudado."

–Mi papá le contestaría:
"Limpia el campo antes de echar nuevo grano."

–Pues mi papá le diría:
"A la sierra, aunque sea en burro."

–Pues el mío contestaría:
"No hay árbol de tortillas."

–Pues mi papá... igual lo diría.

Los refraneros

Revolviendo quehaceres y cosecha

Aquí les va un juego: si reacomodáramos todo lo que Vicenta Pedro pintó en la pieza para venderlo en un mercado, ¿qué te llevarías para vivir y cosechar en Xalitla o en tu casa?

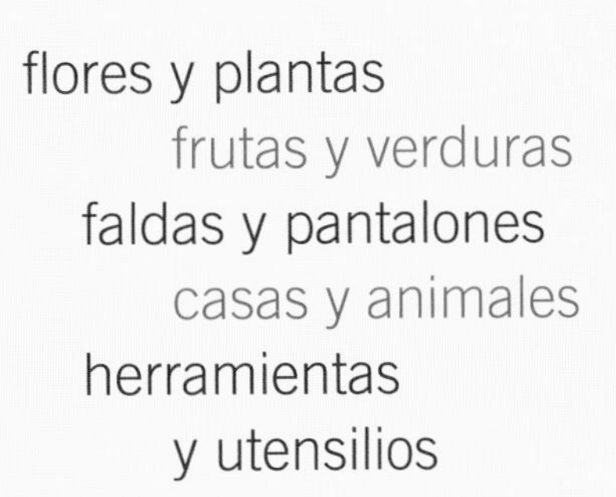

flores y plantas
frutas y verduras
faldas y pantalones
casas y animales
herramientas
y utensilios

Juana Recortes

Busca:

Dos círculos grandes, que podrían ser los ojos del cuadro. / Una cabeza con una flor adentro. / Una cabeza con rayos de sol. / Un venado que se transformó en toro, al que le sale una víbora de la boca. / Un pájaro grande entre espuma blanca del mar. / Un colibrí. / Hay diecinueve serpientes, algunas con partes de venado, ¿cuántas puedes encontrar?

Ésta es una obra de arte huichol. Los huicholes viven en una región que se encuentra entre Nayarit, Jalisco, Durango y Zacatecas.

El mapaniño

La pieza fue elaborada en 1980 por José Benítez Sánchez, chamán de San Pablito, Nayarit. Su nombre huichol era Yucaye Kukame, que quiere decir "Caminante Silencioso". Fue uno de los artistas más importantes del arte huichol.

¿Todos los huicholes son chamanes? Y... ¿qué es un chamán?

Los chamanes son individuos que tienen el poder de comunicarse con los antepasados para mantener la armonía entre la naturaleza, las personas y el mundo espiritual. Suelen ser muy sabios y algunos son curanderos. No cualquiera es chamán. La obra de José Benítez está llena de imágenes que surgen del "don de ver".

¿Qué es eso?

El "don de ver" no es mirar las cosas como lo hacemos todo el tiempo. Es poder observarlas por dentro, ya que te transformas en lo que estás viendo (así de difícil). Imagínate que al ver una fogata pudieras además de ver sus colores y sentir el calor, observarla como si tú fueras el fuego. Si después tuvieras que ilustrar lo que viste, no dibujarías una fogata como si estuvieras sentado frente a ella, la pintarías por dentro y lo que solamente tú viviste.

Pero ¿cómo puede alguien hacer eso?

El "don de ver" sólo lo logran los chamanes y algunos artistas después de un largo entrenamiento y haciendo sacrificios, como ir al desierto y permanecer ahí mucho tiempo soportando la sed, el calor, el polvo y el frío de la noche; dejar de comer; hacer cosas peligrosas; asumir compromisos difíciles de cumplir y cumplirlos; no dormir durante varias noches; realizar largas caminatas...

Después de estos sacrificios, llega un momento en el que el chamán o el artista empieza a tener visiones, a ver como si soñara. Todo lo que le rodea, el agua, el maíz, el sol... se transforma en sus antepasados y, estando ahí, la historia se desenvuelve ante sus ojos.

Los cuadros que se hacen a través del "don de ver" no son un retrato de una visión. Son en sí la visión. Por eso algunas obras son sagradas, ya que los ancestros que aparecen en ellas están realmente ahí.

El huichol le responde al entrevistador profesional

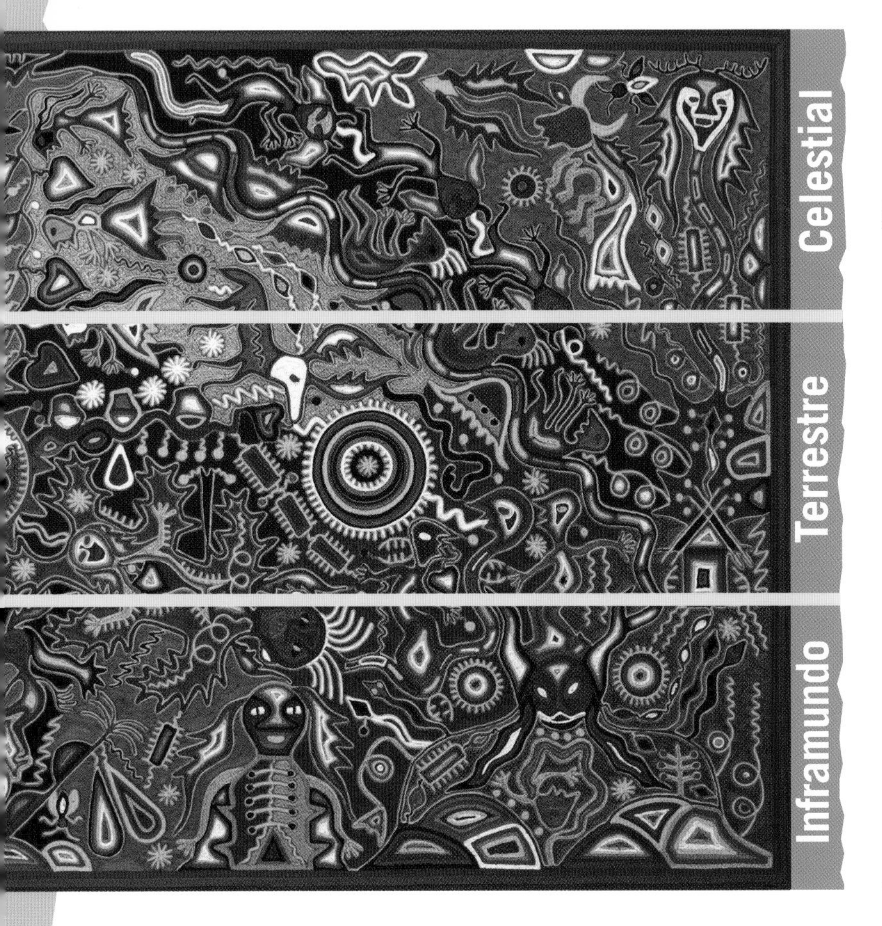

En su visión, Tatutsi Xuweri Timaiweme (espero que ya lo puedas decir) ordena el mundo huichol en tres niveles: El nivel celestial, donde sale el Sol; el mundo terrestre, y el inframundo o el eterno pasado. Para distinguirlos, sólo tienes que dividir la pieza en tres partes iguales, horizontalmente.

La obra que ves aquí es la visión del dios Tatutsi Xuweri Timaiweme sobre cómo se creó el mundo, pero también la visión de José Benítez Sánchez. Es lo que él ve.

El centro del disco es Tatutsi Xuweri Timaiweme, que es la fuente de todo lo que existe, aparece como un mundo dentro del mundo. Los dos discos que se encuentran a los lados, son ojos, se llaman nierikas y son sus instrumentos para ver. Si tuvieras el "don de ver", los nierikas también serían tus ventanas a la creación del mundo. Alrededor de estos tres discos se encuentran los caminos que abarcan el territorio huichol, y que unen mitos, dioses y símbolos.

El huichol

Si tratas de mirar con el ojo derecho el nierika derecho y con el izquierdo el nierika izquierdo, parece que están girando.

El contador

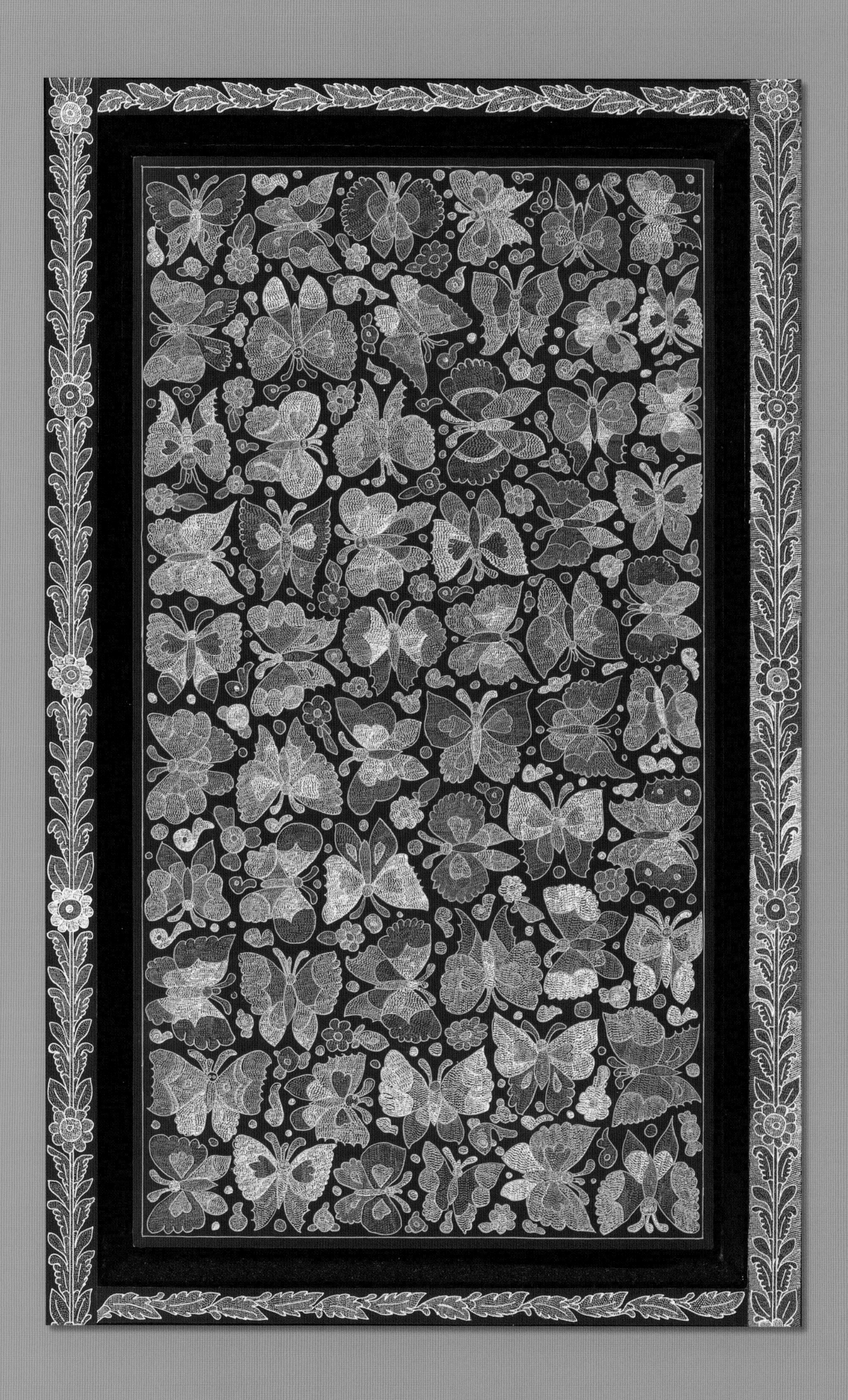

Punto por punto hay...

Mariposas que vuelan en el agua y mariposas que vuelan entre flores. / Cuatro mariposas de perfil. / Seis con tres antenas de diferente color. / Tres mariposas que sólo tienen tres colores. / Una mariposa con dos circulitos en un ala y ninguno en la otra. / Dos peces escondidos entre mariposas y flores. ¿Hay dos mariposas idénticas?

Gira tu libro

La técnica del maque o laca se trabaja principalmente en Chiapa de Corzo, Chiapas; en Olinalá y Temalacatzingo, Guerrero; y en Uruapan y Pátzcuaro, Michoacán.
Esta pieza es de Olinalá.

El mapaniño

Este biombo lo hicieron Paciano Jiménez, su esposa y sus hijos de la siguiente manera:

- Taparon los poros de la madera con una mezcla producida con una piedra que se llama tolte, agua y pegamento.
- Untaron la pieza con una capa negra elaborada con una mezcla de minerales de la región: tolte, cáscara de encino, linaza, aceite de chía y tecostle. Esta capa tarda un mes en secar.
- Pusieron la capa de color azul y trazaron las figuras haciendo un relieve con una espina de huizache y una pluma de guajolote.
- Le sacaron brillo a la pintura, la dejaron secar, y luego la pintaron punto por punto.
- Delinearon los bordes de las mariposas con pintura.

Para hacer todo esto se tardaron tres meses.

Entrevistador profesional

La laca y los diarios de campo

En el México prehispánico ya se producía un tipo de laca o maque. Al preguntarme cómo se saben este tipo de cosas, encontré que cuando los españoles llegaron a América, que era algo así como viajar a la Luna en esa época, más de un explorador anotó en su diario todo lo que sus ojos vieron. Un señor con un nombre rimbombante, fray Jerónimo de Mendieta, escribió, por ahí de 1554, que los indígenas hacían vasos con calabazas muy duras, mejor conocidas como jícaras, y los pintaban con figuras y colores muy finos, lúcidos y vistosos, es decir, laqueados.

El anticuario

Olinalá es una palabra náhuatl que significa: cerca de los terremotos.

Lo que vimos primero son sólo dos fragmentos de un biombo. Hay ocho fragmentos con mariposas de un lado y ocho con otra técnica y dibujos del otro.

La autora

¿Qué son estas figuras?

- Un renacuajo.
- Montañas.
- Una ✓ de Olinalá.

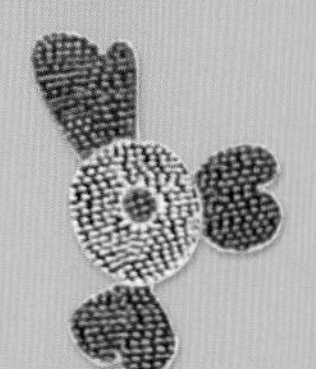

- Un pájaro.
- Un pez narizón.
- Un volcán visto desde arriba.

- Un caramelo.
- Una flor.
- Un motociclista visto desde arriba.

A otra cosa, mariposa.
Al ver esta pieza recordé los cuadros puntillistas. Si en vez de pinceladas, ponemos puntos muy juntitos sin revolver los colores, nuestros ojos, al observar el cuadro a distancia, mezclarán los colores y percibirán la imagen, como si éstos fueran pinceladas y no puntos.

Jorge, el pintor

Si mi amigo no fue claro, recarguen el libro en una pared y vean la pieza desde lejos. Las mariposas se ven claramente rellenas y los puntos no se perciben.

Lucas, el pintor

¿Cuántos puntos tiene esta mariposa?

Dora la punteadora

Ahí les va una frase para pensar: a veces hay que ver las cosas desde lejos, para entender el punto.

Sofía Filo

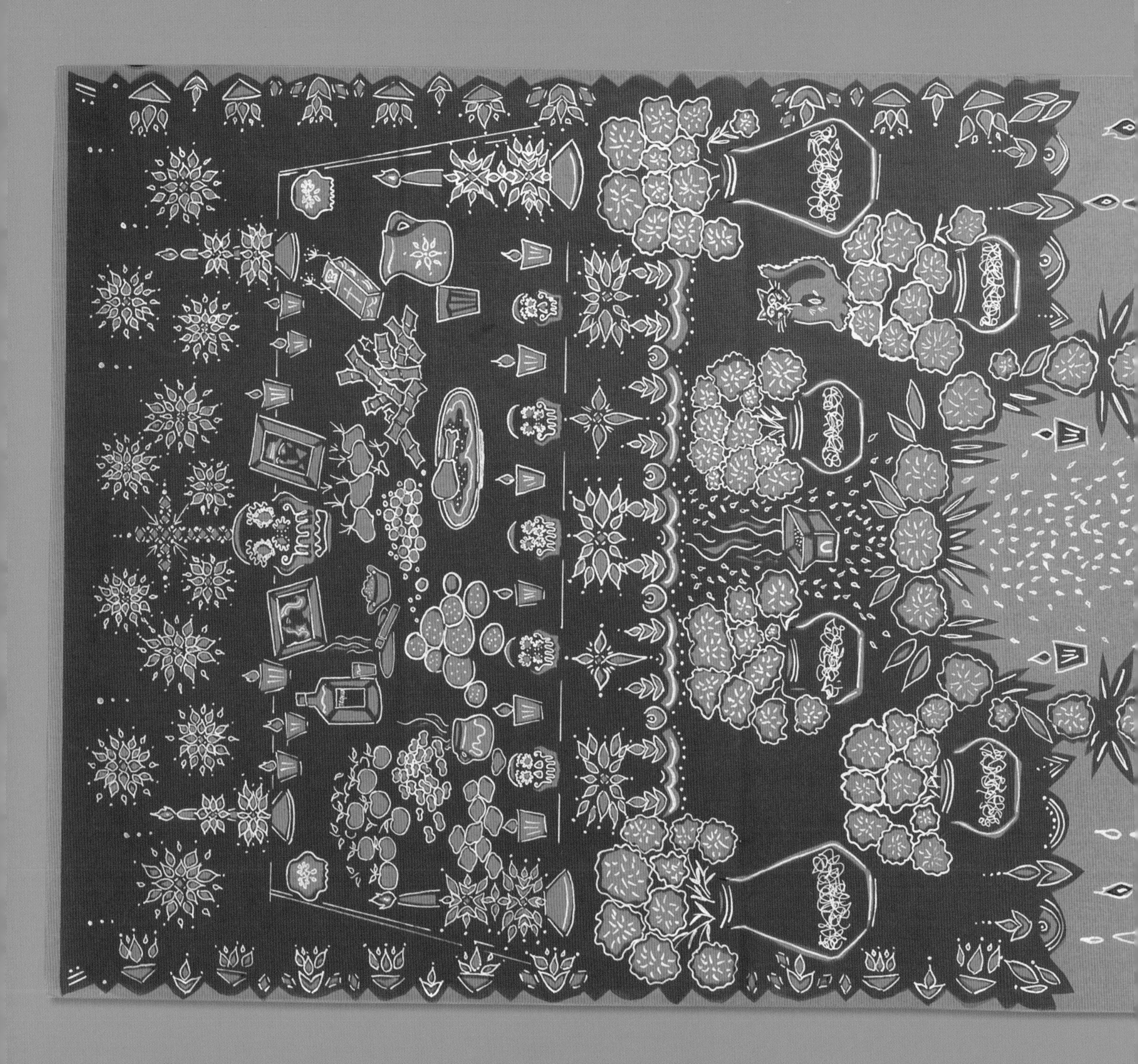

Gira tu libro

En el altar y más allá se encuentra...

- El camino del panteón que pasa por un arco, llega al piso y a la mesa del altar.
- Doce flores de cempasúchil en un mismo florero.
- Una canasta vacía.
- Una paleta.
- Un error en el borde del piso de la casa.
- ¿Qué van a comer y beber los muertos?
- Una calavera a la que le falta un hoyo en la nariz.
- No hay pan de muerto en la mesa, ¿quién se lo robó?

El papel picado se elabora principalmente en San Martín Texmelucan, Zacapoaxtla, Tehuacán y San Salvador Huixcolotla, en Puebla, y en Xochimilco y Chalco en el Distrito Federal. Esta pieza se fabricó en el D. F.

El mapaniño

Algunas cosas sobre Adriana Amaya

La autora de la pieza, que me regaló un globo en forma de pez forrado con papel picado, lleva veinte años en este oficio y su reto es hacer con papel diseños que no se ven en cualquier lugar. Ha hecho hasta vestidos típicos ¡que se pueden usar como ropa!, aunque sólo sea por un ratito. Ella es una gran observadora, así que en día de muertos se mete entre los altares para ver qué novedades encuentra. Para lograr este diseño, Adriana hizo dos papeles picados e impuso uno sobre otro.

Entrevistador profesional

¿Cómo se une el antiguo Oriente con las gorditas y los camotes?

A la Nueva España llegaban unos barcos llamados naos de China o galeones de Manila. Estas embarcaciones conectaban el Oriente (China, Japón) con el Occidente (nosotros), y transportaban a la Nueva España mercancías procedentes del Oriente como sedas, biombos, especias y artesanías. Muchas veces eran atacados por piratas o se hundían por el mal tiempo. Entre las mercancías que traían había un papel hecho de fibra de arroz desconocido en este lado del mundo, y como a lo desconocido había que inventarle un nombre, para no complicarse le pusieron "Papel de China" (los chinos no lo llamaban así). Este nombre sigue usándose, también sigue utilizándose este papel para crear arte, adornar o envolver gorditas y camotes.

La China de Chalco

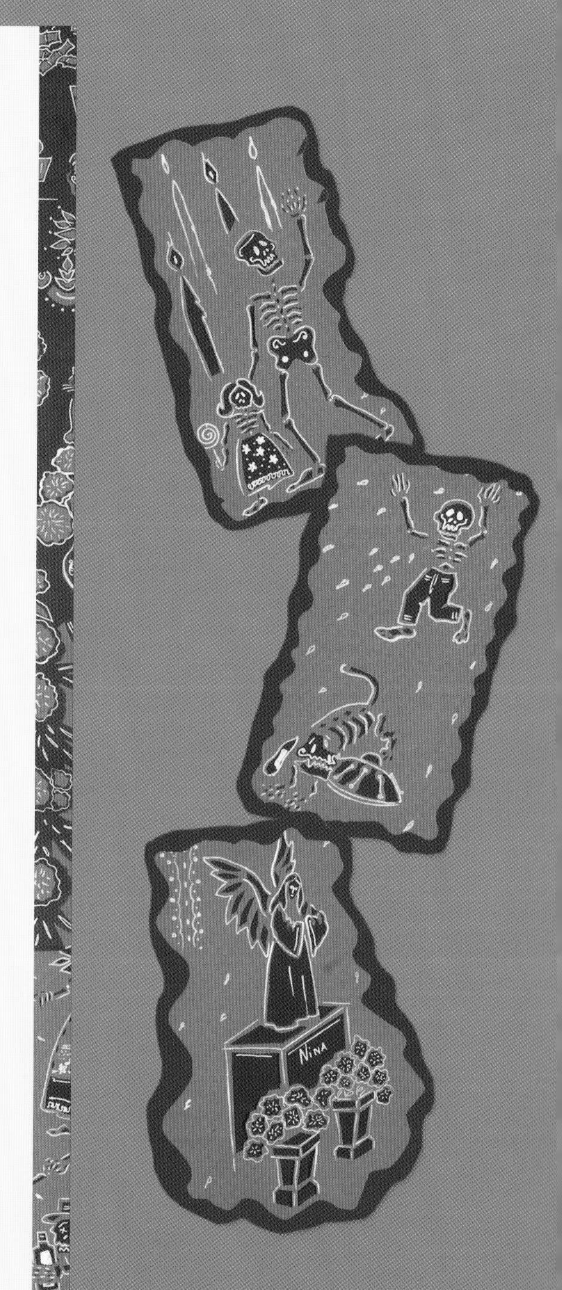

"Flores, laureles de lodo, el papel lo aguanta todo",

así decía nuestro abuelo.

Los refraneros

¿Qué le dice un muerto a otro en el panteón?

La niña con su paleta le dice a su papá: "Déjame comer dulces, al fin que ya casi no tengo dientes y no engordo".

El compadre le dice a la comadre: "Éste es nuestro altar, mira que bien saliste en la foto".

El niño le grita al perro: "Tú fuiste el que se robó mi pan de muerto".

No han salido de sus tumbas ni la autora del libro, ni la autora de la pieza.

Imaginado por el Calaveritas

¿Cuál es el error en el borde del piso?

Muchas de las figuras que están de un lado son iguales a las del otro lado, se cortan juntas doblando el papel a la mitad. Al final del primer pliego morado (junto al arco) la tijera no alcanzó a recortar uno de los semicírculos.

Adriana Amaya

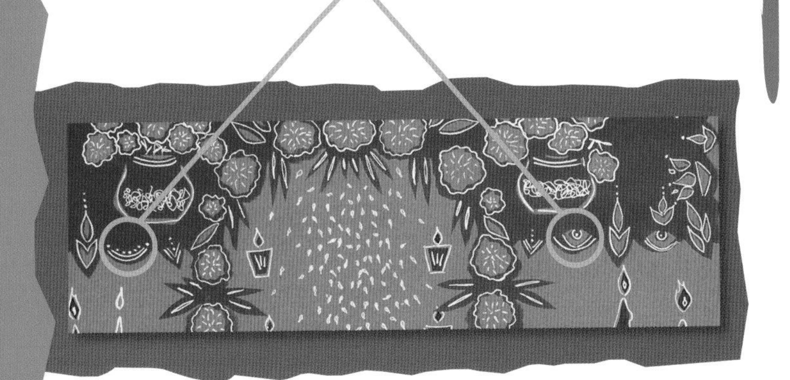

Yo traté de hacer papel picado y me salió esto.

Juana Recortes

El altar tiene:

mandarinas
cacahuates
guayabas
café
naranjas
tequila
un cigarro
una cazuela con sal
fotos de los muertos
tejocotes
jícamas
pollo con mole
cañas
un vaso
y una jarra con agua
un juguete
de muertos
veladoras
y calaveras de dulce

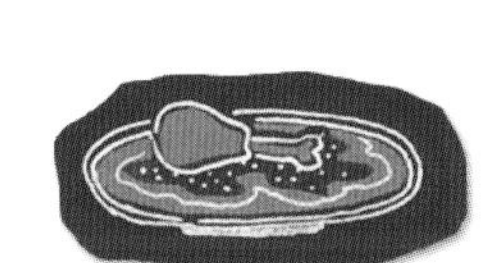

Luego está el piso con floreros y un anafre con copal. Todo esto para deleitar y marcar el camino a los muertos que vienen del panteón. ¿Por qué hay sal?

Tradicio Polines

Dicen que la sal es para que no se pudran los muertos.

El contador

Es hora de comprar para la fiesta, sería bueno llevar...

Dos petates para sentarse. / Huevos, no los de los pajaritos. / Arroz y frijol para los tacos. / Diez panes de dulce, cada uno distinto. / Lo necesario para hacer una salsa. / Un camello y una guitarra de juguete. / Dos papalotes. / Un balero y un sombrero con la leyenda: Viva México. / Hilo, agujas y botones para los descuidados. / Una jarra para regar el pasto y una caña.

Por último, una alcancía de cochinito
y a juntar para la siguiente fiesta.

El Estanquillo tiene miniaturas hechas en diferentes estados de la República, todas reunidas en un taller de México, D. F.

El mapaniño

¿Por qué hace miniaturas Horacio Gavito, autor de esta pieza?

Resulta que al maestro Gavito le gustaba mucho hacer altares para muertos. Sus altares eran tan bonitos que mucha gente lo visitaba en su casa para verlos. Una vez una señora extranjera le pidió que le hiciera un altar, pues quería homenajear a una pariente (ya muerta, claro está). El problema surgió cuando quiso llevarse el altar a su país, no podía meterlo en su maleta. Entonces, al maestro Gavito, que trabajaba la artesanía en papel maché, se le ocurrió que si hacía el altar en miniatura podrían mandarlo a cualquier lugar. Y fue todo un éxito. Desde entonces decidió representar en miniatura todo tipo de escenas.

Entrevistador profesional

Los estanquillos eran tienditas donde se compraba todo tipo de cosas para el diario. Esta pieza lleva su nombre como un homenaje a los estanquillos, pero es una tienda de pueblo de nuestros tiempos. Esto lo sé por las marcas.

El anticuario

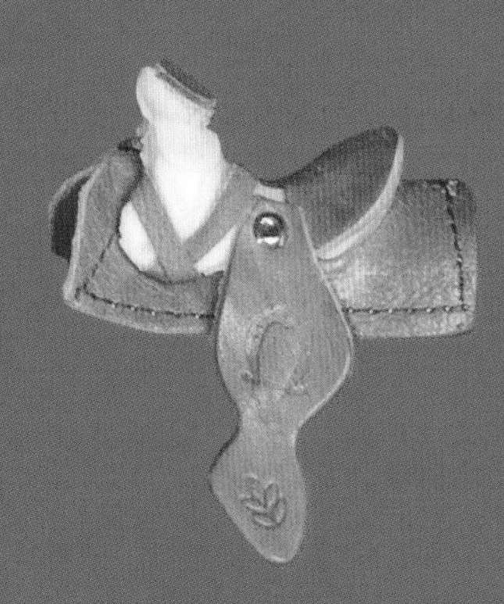

Si hiciéramos una
lista de los materiales
artesanales que tiene
esta pieza, podríamos
mencionar: barro, hojalata,
palma, textiles, madera,
papel picado, cartón
y cuero.

Prima Materia

Yo incluiría en la lista de
la fiesta: piñas y piñatas,
sillas y semillas, chorizos
y rebozos, zarapes y
mecates, mantecas
y al Pecas.

(El Pecas soy yo)

Encuentra en el estanquillo la respuesta
de estas adivinanzas:

- *Si preguntas mi nombre*
  mi inicial está en guante
  y mi segunda letra
  anda siempre ambulante.
  La tercera y la cuarta
  se hallarán en total.
  Soy el más listo y guapo
  pero el menos cordial..

- *Voy al mercado y compro una bella,*
  llego a mi casa y bailo con ella.

Mía, la divina

Para mí, tanto con las miniaturas
como con el ajedrez, puedo inventar
desde batallas campales hasta grandes
banquetes, sin salir de mi cuarto. Por
eso yo, como el maestro Gavito, soy un
buscador de miniaturas. Las hay por todas
partes, sólo que son tan chiquitas que nada
más puede verlas un ojo experto.

Camilo Lupa

Agradecimientos

José Luis Serrano Carrillo. Autor del árbol de la vida: *Artesanías de Metepec.*
Carlos Loyola Jáquez. Autor del platón: *Plato con dibujo en rehilete.*
Otilia Sandoval, quien nos permitió fotografiar la pieza del hupil triqui y nos asesoró acerca de su elaboración y trascendencia dentro de la cultura triqui.
Fidel Hernández Mendoza, quien nos proporcionó la fotografía de la mujer triqui con el telar de cintura.
Heriberto Santos Mendoza y familia. Autores del mantel bordado.
Paciano Jiménez y familia. Autores del biombo.
Viecenta Pedro Herrera. Autora del papel amate: *El trabajo en el campo y en nuestra comunidad indígena.*
Adriana Amaya. Autora del papel picado: *Día de muertos.*
Horacio Gavito. Autor de la pieza *El Estanquillo La Luz.*
Tienda del Museo de Arte Popular, por permitir fotografiar el árbol de la vida: *Artesanías de Metepec.*
Tienda Fonart, por permitir fotografiar las piezas del biombo y el platón.
Johannes Neurath, investigador del Instituto Nacional de Antropología e Historia (INAH), por su asesoría acerca de la pieza huichol.
INAH, por permitir reproducir la obra de arte huichol, cuyo autor es **José Benítez Sánchez.**

Referencias bibliográficas

Arte del pueblo, manos de dios: Colección del Museo de Arte Popular, 3ª. ed., coordinación editorial y asesoría académica José N. Iturriaga de la Fuente, Roxana Villalobos Waisbord; fotografía Nicola Lorusso, México, Landucci/Océano, 2006.

Artesanías de América, núm. 41, México, Centro Interamericano de Artesanías y Artes Populares (CIDAP), 1993.

Cordero, Karen, *De cartones: el cartón y el papel en el arte popular mexicano*, México, Smurfit, 2003.

Johannes, Neurath, *La tabla huichola*, México, Museo Nacional de Antropología, 1999.

Turok, Marta, "Un alma del alfarero: entrevista a Juan Quezada C.", en *Cerámica de Mata Ortiz*, Revista de Artes de México, núm. 45, México, 1999.

Pérez Martínez, Herón, Refranero mexicano, México, FCE, 2004.

Referencias electrónicas

"Lacas y maques, una tradición prehispánica", en *Popularte*, publicación electrónica del Gobierno de Veracruz y la Universidad Veracruzana, véase <http://www.uv.mx/popularte/esp/scriptphp.php?sid=414>.

se imprimió en el mes de febrero de 2011, en los talleres de Leo Paper Products, Kowloon, Hong Kong, China • En su composición tipográfica se utilizaron las familias Trade Gothic y GrilledCheese BTN Wide.